ゆかいな 鼓笛バンド・アルバム ②

MUBLA DNAB IKETOK

YUKAINA

株式会社 エー・ティー・エヌ

ゆかいな鼓笛バンド・アルバム 2

もくじ

ワンポイントアドバイス

狼なんかこわくない

　2分の2拍子ですから、あまりおそくならないようにしましょう。中間部がハ長調になります。
〈演奏順〉
㊉-Ⓐ-Ⓑ-Ⓐ-Ⓑ-Ⓒ-Ⓓ-Ⓐ-Ⓑ-Ⓒ-to ⊕-⊕ Coda

チキ・チキ・バン・バン

　もともと2分の2拍子の曲ですが、マーチということで4分の4拍子にしてあります。笛や鍵ハーモの ♩♩♩♩ のダブルタンギング(トゥクトゥク)をきれいに吹きましょう。小太鼓の裏拍(後打ち)を左手で軽く打ちます。♩♩♩♩♩♩ のリズムは、8分休符を右手で空打ちするようにしましょう。

セント・ルイス・ブルース

　臨時記号が多い印象を受けますが、それほど難しくありません。特にリコーダーは全曲の8割が左手のみで吹けます。ドラムのパートと一緒に練習するなど、スウィングのリズ

ムを常に意識すれば、シンコペーションも楽にこなせるでしょう。なおこの編曲は、小学生にブルースの雰囲気を楽しんで貰うためにオリジナルのヴォーカル譜から起こしたものであって、映画「グレン・ミラー物語」で有名になった「セント・ルイス・ブルース・マーチ」(グレイ編曲)の再編曲ではありません。

テキサスの黄色いバラ

　アメリカ西部を思い出させる曲です。あまり速くならないように演奏しましょう。2回目は $\frac{3}{4}$ 拍子で演奏すると感じも変わります。遠くから聴こえ、前を通り過ぎ、また遠ざかる。そんな場面を想像しながら、強弱を工夫してください。

マーチ・喜びの歌

　シンプルな編曲にしてありますが、繰り返しにより、演奏時間を保つように考えてあります。旋律パートはやさしいので全校合奏もできます。

猫ふんじゃった／ビアだるポルカ

　誰もが知っている「猫ふんじゃった」のメロディーを中心に、中間部に「ビアだるポルカ」のメロディーの一部を取り入れた、Ａ－Ｂ－Ａの形式にしてみました。全体を歯切れよくリズミカルにまとめて、ユーモラスな味をじゅうぶんに表現してほしいと思います。

アルプス一万尺

　イントロのリードはバグパイプ風に。オクターブ下の音を加えてもよいと思います。ハ長調のメロディーのくり返し時のベルリラ・パートはアルト笛でもよいと思います。メロディーを歯切れよく、少しスタッカート気味に。サビの部分のリードパートはできるだけ低音のでるものでいれてください。

空を見上げて

　３部形式のリズミカルな部分と、ゆったりした部分がある曲です。そこで２つの部分の変化を出すことが大切。
　小太鼓の出だしの細かいリズムを鮮明に出すことぐらいで、あとは簡単なリズムですから、ちょっとした動作をつけたり、隊形を変させるなどドリル演奏用として使えます。

はばたけ鳥

　この曲は、歌唱曲として広く子どもたちに好まれています。編曲では、小太鼓に３連音符を多用したリズムに特徴があります。
♩ ♫♫ ♩ ♩ ，や ♩ ♫♫ ♩ ♫♫ ，あるいは ♩ ♫♫ ♩ ♩ のリズム等は、右、左交互に打った方がよいでしょう。但し、一拍めに４分休符がある場合には、その拍を空打ち（右手で打つモーション、打つまね）をするようにしてください。

若者たち

　ふえの派生音を正確に作音して下さい。副次的旋律のベルリラパートは、表情をつけ、豊かな感じで演奏し、特にリズムがくずれないように注意して下さい。

幸せなら手をたたこう

「幸せなら手をたたこう」のメロディーを中心に、「世界はひとつ」のメロディーを組み合わせて演奏しようという試みです。パートナー・ソングの一種といっていいでしょう。ムードの違ったメロディーの、対照的なおもしろさを出すように工夫してみてください。

楽しいね

リズムについては、原曲のピアノ伴奏を基本に付けてあります。もともとマーチ・テンポの曲なのでそのまま集会などで歌の伴奏としても使えますが、その際にピアノを加えてもこの伴奏が邪魔をすることはないでしょう。Ｃからの鍵盤ハーモニカは、前半４小節を和音奏、後半５小節を分担奏とするのが妥当でしょうが、人数やレベルによりどちらかに統一してもかまいません。

山賊の歌

笛の①と②のかけ合いをしっかり。ベルリラの入るタイミングが難しいので注意。メロディーに低音が多く、ソプラノ笛だと鳴りが悪い場合にはアルト笛でやってみてはいかがでしょう。

見上げてごらん夜の星を

順序はＡＢＢＣＢＢ♦です。特に停止演奏の時はムードを出して演奏して下さい。リラベルは夜の星です。

花の街

ふえの派生音を正確に演奏しましょう。打楽器の強弱を美しく。

われは海の子

「われは海の子」のメロディーを中心に、中間部Ⓑに「海のマーチ」のメロディーを入れた、３部形式風にまとめてみました。２つの曲のムードの対照的な特徴を表現できるように工夫してみてください。

線路は続くよどこまでも／汽車ポッポ ／汽車

　「線路は続くよどこまでも」のメロディーを中心に、間に©「汽車ポッポ」のメロディーと、⑩「「汽車」の童謡メロディーを入れて接続曲にまとめました。

〈演奏順〉
⑪−Ⓐ−Ⓑ−©−Ⓐ−Ⓑ−⑩−Ⓐ−Ⓑ−to⊕
−⊕Coda

泉のほとり

　ふえは高音のＡまでありますから、注意して美しい音を出して下さい。派生音も正確に。

ピクニック

　ふえⅠは高音を美しくひびかせましょう。アコーディオンはベローイングを正しく。４小節で１往復だけでなく、２小節で１往復した方がよい場合もあります。

一 週 間

　途中から転調して、変化をつけています。

テノール・アコは、アルト・アコでも代用できます。

森のくまさん

　原曲のリズムを多少変えて、行進曲風にまとめてみました。リズムはロック風リズムにしてあります。リコーダーと鍵盤ハーモニカの交互奏と、ベルリラ（鉄琴）のリズムとの対照的なおもしろさを表現できるように工夫してみてください。

おお ブレネリ

　旋律もやさしく、軽快な感じが出せれば効果的です。リズム群も、ごく基本的な４拍子のパターンですから、抵抗なく演奏できます。小太鼓の ♪♪ はトリル奏ですが、もしむずかしいようでしたらトリルなしの ♪♪ で演奏してもかまいません。

おお牧場はみどり

　13小節からの強弱と、小太鼓のリズムを美しく。かけ声は全員が大きくはっきりと。

すずらん

　たて笛の主旋律を心の中で歌いながら演奏すると、かるいリズムの感じがだせると思います。

　特に派生音（ド♯）は、指使い（1，2）に気をつけて正確に作音してください。

ゆかいな牧場

　2分の2拍子ですから、あまりおそくならないようにリズミカルに演奏してください。同型旋律が反復されます。全体をスタッカート気味に演奏した方が効果的でしょう。

ポーリュシカ・ポーレ

　ロシア風メロディーとウッドブロックのリズムを生かす。騎馬隊の遠くから近づく感じを前奏で、遠ざかる感じをコーダで表現すると効果的でしょう。

ゆかいに歩けば

　自然の中を散歩していると、いつの間にか気持がはずんできます。思わず青空に向って"おーい"とさけんでしまいます。そんな思いで演奏してください。

　アコーディオンは歩きながら弾くので音は易しくしてあります。大太鼓のリズムに合わせるようにしましょう。

クラリネットをこわしちゃった

　演奏順序はIntro. A・B・A・B・C・B・の です。ステージ演奏も可能です。そのときは是非歌も参加させて、打楽器は数をへらします。♩のところはシンバルは休んで、かけ声にします。

風がはこぶもの

　ふえの副次的旋律をかるく吹いてください。心の中で主旋律を歌いながら演奏するとリズムの感じがだせると思います。

気球にのってどこまでも

　マーチでもロック風のリズムにしてありま

すので感じを出してください。大太鼓をミュートしてひびきすぎないようにするとよいでしょう。小太鼓は ♩ と ♪ の2種類あります。わく打ちと鼓面打ちの相違です。

大きな夢のマーチ

ゆったりしたマーチですから、テンポが速くならないように気をつけましょう。特にだんだん速くなる傾向があるので注意してください。

笛とベルリラの掛け合いは、単純な小・中・大太鼓の拍打ちにのって、スムーズにいくように気をつけます。

この曲の太鼓やシンバルのリズムも単純なので、ドリル演奏向きといえます。

南の島のハメハメハ大王

もともとマーチ・テンポの曲なので、集会などで歌の伴奏にも使えるでしょう。その場合には小・中どちらかの太鼓を省いた方が、リズムが複雑にならず歌いやすいかもしれません。メロディーは全般を通じて鍵盤ハーモニカに持たせていますが、ソプラノ・リコーダーに置き換えても何等差支えありません。ただオブリガートのリコーダーと音色が重なってしまうので、人数の配分を考えてメロディーがはっきりと聞こえるようにします。また、ラテン・リズムの伴奏例を載せてありますが、楽器については自由に工夫してください。演奏する場所や形態により、低い音の打楽器が入ったほうが拍が取りやすいこともありますし、小物だけで軽快にまとめた方が効果が上がる時もあります。

歌はともだち

中間部の転調した部分では、リズムの変化に注意し、楽しさを盛り上げていきます。アコーディオンはスタッカートぎみに演奏するとより効果的です。

さよなら さよなら

リズム型はラテン・リズム系の中のビギン風にまとめてありますが、もちろん行進にも合いまい。ビギン風のリズムの特徴を生かせるように工夫をしてください。

『3匹のこぶた』より

狼なんかこわくない Who's Afraid of the Big Bad Wolf?

●Words and Music by Frank Churchill ●Additional lyric by Ann Ronell ●編曲／今成睦夫

笛
鍵盤ハーモニカ
ベルリラ
小太鼓
中太鼓
シンバル
大太鼓

Chitty Chitty Bang Bang

チキ・チキ・バン・バン

●Words by Robert B. Sherman ●Music by Richard M. Sherman ●編曲・川崎　彰

16

St.Louis Blues

セント・ルイス・ブルース

●作曲・W.C.ハンディ●編曲・国久 昇

テキサスの黄色いばら

●アメリカ民謡●編曲・須佐雅俊

（スタッカートで）

喜びの歌
●作曲・ベートーベン●編曲・山岡憲三

猫ふんじゃった／ビアだるポルカ

●外国曲　　　　　　　　　●外国曲●編曲・今成睦夫

アルプス一万尺

●アメリカ民謡●編曲・清水博子

空を見上げて

●黒人霊歌●編曲・灘友　瑛

たて笛
ベルリラ
小太鼓
中太鼓
大太鼓
シンバル

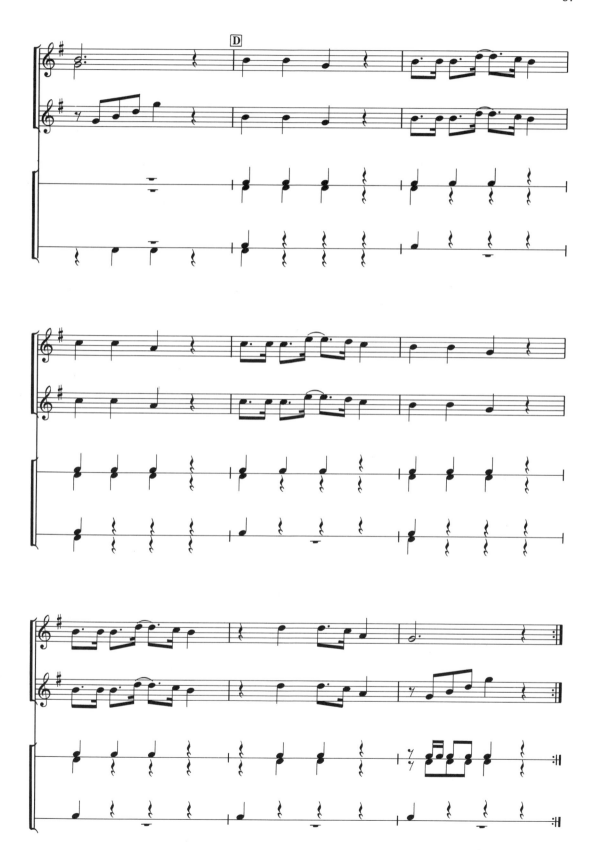

はばたけ鳥

●作曲・瀬戸匡弘●編曲・川崎 彰

たて笛

鍵盤ハーモニカ
（アコーディオン）

ベルリラ

小太鼓
中太鼓

シンバル
大太鼓

40

若者たち

●作曲・佐藤　勝●編曲・五十嵐寛

42

幸せなら手をたたこう

●外国曲●編曲・今成睦夫

笛
鍵盤ハーモニカ
ベル リ ラ
小 太 鼓
中 太 鼓
シ ン バ ル
大 太 鼓

46

楽しいね

●作曲・寺島尚彦●編曲・国久　昇

山賊の歌

●作曲・小島祐嘉●編曲・清水博子

見上げてごらん夜の星を

●作曲・いずみたく●編曲・大柿かおる

54

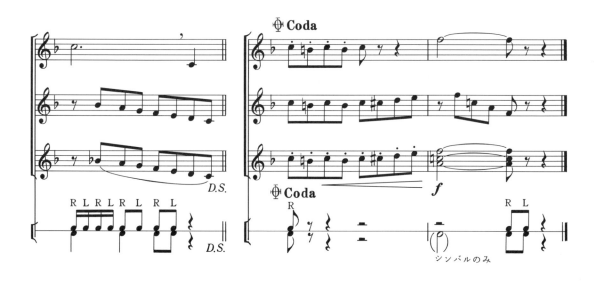

花の街

●作曲・団伊玖磨●編曲・大柿かおる

われは海の子

●文部省唱歌●編曲・今成睦夫

線路は続くよどこまでも／汽車ポッポ

●アメリカ民謡　　　　　　　　　　　　　●作曲・草川　信

／汽車

●文部省唱歌●編曲・今成睦夫

64

67

泉のほとり

●作曲・ノヴィコフ●編曲・大柿かおる

ピクニック

●イギリス民謡●編曲・大柿かおる

March

一週間

●ロシア民謡●編曲・井出秀樹

森のくまさん

●アメリカ民謡●編曲・今成睦夫

おお ブレネリ

●スイス民謡●編曲・今成睦夫

おお牧場はみどり

●ボヘミヤ民謡●編曲・大柿かおる

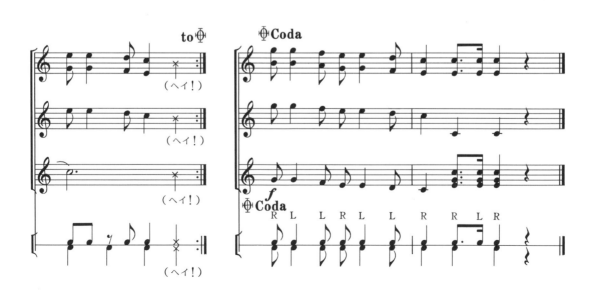

84

すずらん
●ロシア民謡●編曲・五十嵐　寛

ゆかいな牧場

●アメリカ民謡●編曲・今成睦夫

88

ポーリュシカ・ポーレ

●作曲・クニッペル●編曲・石井 光

ゆかいに歩けば The Happy Wanderer

●Music by Friedrich W. Moller ●編曲・須佐雅俊

クラリネットをこわしちゃった

●フランス民謡●編曲・大柿かおる

98

風がはこぶもの

●作曲・菅原　進●編曲・五十嵐　寛

気球にのってどこまでも

●作曲・平吉毅州●編曲・川崎 彰

104

106

D.S.

D.S.

大きな夢のマーチ

●作曲・平吉毅州●編曲・灘友 瑛

110

南の島のハメハメハ大王

●作曲・森田公一 ●編曲・国久 昇

鍵盤ハーモニカ

S.リコーダー

ベルリラ

小太鼓
中太鼓

シンバル
大太鼓

カッコ内2回目（4回くり返しのときは2・4回目）のみ

フライパンまたはカウベル

112

フライパン
またはカウベル

フライパン
またはカウベル

この編曲では２コーラスでまとめてありますが（ A B C 1. B C 2. D の演奏順）、
集会などで歌の伴奏としても使えます。
歌詞は４番までありますが、その場合は、ラテン・リズムによる伴奏も入れるなどし
て変化をもたせるとよいでしょう。

例

A B C 1. B C 2. B C 1. B C 2. D
（ラテン
リズム）

下にビギンのリズム伴奏例を載せておきます。

小　太　鼓
中　太　鼓

$\times$ は小太鼓の枠を叩きます。

ク ラ ベ ス
ギ ロ
（マ ラ カ ス）

ワンコーラス終わって 1.
に入った時は左ページの楽譜
に戻ります。

歌はともだち

●作曲・南　安雄●編曲・五十嵐寛

鍵盤ハーモニカのみ

笛・鍵盤ハーモニカ

116

さよなら さよなら

●作曲・中村八大●編曲・今成睦夫

120

前奏・間奏・後奏のパターン例

●今成睦夫

㊟ 小＝小太鼓　中＝中太鼓　シ＝シンバル　大＝大太鼓

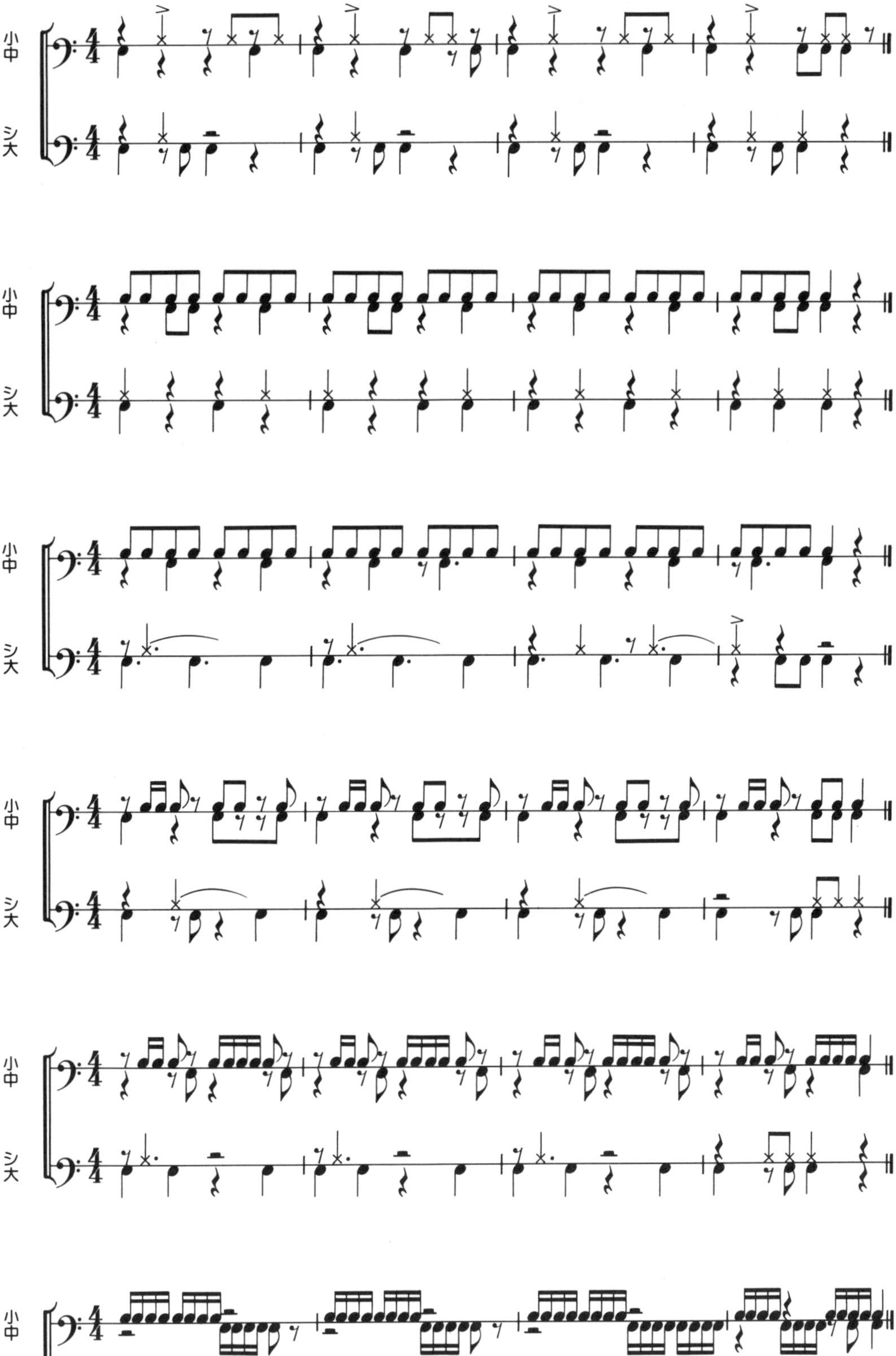

小中
シ大
4/4

ポピュラー・リズムの基本パターン ●今成睦夫

A ラテン系

① ルンバ風

② マンボ風

③ ビギン風

④ サンバ風

⑤ バイヨン風

⑥ チャチャチャ風

小学校の器楽合奏
ドラム・マーチ集

今成睦夫・著

定価
2,000円

■時にやさしく、時に激しく、見る人の心にふるえ立つような感動を与える。それは音楽の世界から飛翔した、曲線と直線の動きでつづれ織る"音楽のデザイン"。「見る音楽」「動く音楽」でもある。

Ⅰ 基本編～まずは基本のトレーニングから
●リズムの基本トレーニングをしっかりと。●打ち方、バチの持ち方など、基本姿勢を身につける。基本パターンを自由に組み合わせて、自分たちのドラム・マーチが作れます。●各4小節による50のパターンをマスターします。

Ⅱ 応用編～いよいよ楽器と元気よく
●楽器の配置、並び方に工夫して。●パレードの歩き方、曲がり方をマスター。●ドラム・メジャー(指揮者)の役割を確認。(休め、気をつけ、方向指示、転回などなど……)●フォーメーションを考える。●カラー・ガード、バトントワリング、ダンス・チームなどとの組み合わせでマーチングに彩りを。

《CD付》小学校の器楽合奏
ゆかいなリズム打楽器メソッド

今成睦夫・著

■器楽合奏、鼓笛バンド、鼓隊、金管バンド、ブラス・バンドなどなど……どんなアンサンブルでも、パーカッション・パートのリズムがきめてです!!
■子どもはリズムの王様、いつも生き生きと躍動しています。指導者も負けないで、いつも新鮮なリズムを身につけたいもの。
■《CD》の音といっしょに、とにもかくにも音にしてみてください。

●定価／
3,500円

Step Ⅰ
100のステップによるリズムドリルです。
◇小太鼓や練習台、またはラバー・パッドを用意し、2本のスティックで練習します。
◇下の段の小玉音符は、生徒同士か、先生がいっしょに大太鼓などで練習します。
◇グループで練習するときは、グレード別にグループを作って、順にマスターしていくと上達が早くなります。

Step Ⅱ
◇アンサンブルに入ります。打楽器の組み合わせは自由に考えてかまいません。

Step Ⅲ
◇打楽器がふえて、より楽しく練習できます。パート別の練習も忘れずに。

Step Ⅳ
◇メロディー楽器が加わって、応用曲でまとめます。 *Step Ⅱ～Ⅲ* で練習したいろいろなパターンが組み合わさっています。
◇前奏、間奏、後奏など、自分たちでパターンを組み合わせて挿入し発展させます。

【応用曲】 われは海の子／マーチ／おお牧場は緑／線路は続くよどこまでも／きらきら星・変奏曲／アルプス一万尺／茶つみ／きらきら星・オン・ステージ／友だち賛歌／空を見上げて／ラ・クカラチャ／茶色の小びん

＊定価には消費税は含まれておりません。

ATN, inc.

ゆかいな
鼓笛バンド・アルバム ②

発　行　日 ● 1998年 6月10日 （初版）

発行・発売 ● 株式会社 エー・ティー・エヌ

ⓒ 1998 by ATN, inc.

住　　　所 〒161-0033
東京都新宿区下落合 3-12-21 目白エミネンス102
TEL 03-6908-3692 / FAX 03-6908-3694

JASRACの
承認により
許諾証紙
貼付免除

4377

日本音楽著作権協会（出）許諾第　9805750-801　号（許諾番号の対象は，当該出版物中，当協会が許諾することのできる著作物に限られます。）

ISBN4-7549-4377-5